D0528610

Poes is weg

Voor Boris en Casper

Dit verhaal verscheen eerder bij
Van Holkema & Warendorf onder de titel:
Ik wil mijn poes terug

Toegekend door KPC Groep te 's-Hertogenbosch.

Vierde druk, 2003

ISBN 90 269 9361 7
NUR 287

Unieboek BV, Postbus 97, 3990 DB Houten
www.unieboek.nl
www.jacquesvriens.nl

Tekst: Jacques Vriens
Illustraties: Juliette de Wit
Vormgeving: Petra Gerritsen

Jacques Vriens

Poes is weg

Met illustraties van
Juliette de Wit

Van Holkema & Warendorf

Teuntje is weg

Voor het raam zit een kleine jongen.
Hij kijkt naar buiten.
In zijn ogen staan grote tranen.
'Teuntje,' snikt hij zacht.
'Teuntje, waar zit je nou?'

De deur gaat open
en mama komt binnen.
Ze loopt naar het jongetje.
'Pieter,' zegt ze,
'je moet nu slapen.
Je poes komt heus terug.
Morgen is hij er vast weer.'
'Nee,' snikt de kleine jongen.

‘Teuntje moet nu komen.’
Mama zucht.
‘Maar luister nou, Pieter…’
Dan wordt Pieter boos.
Hij stampt op de grond.
‘Ga toch weg, rot-mama.

Ik wil mijn poes.'
Mama gaat met haar hand door
zijn haar.
'Toe nou, Pieter, je moet slapen.
Het is al donker buiten.'
Pieter schudt zijn hoofd.
'Het regent,' zegt hij.
'Alles huilt om Teuntje.'
Dan komt papa binnen.
'Slaapt mijn kleine man nog niet?'
Pieter legt zijn hoofd op zijn arm.
Zijn lip trilt.
'Teuntje moet terug,' snikt hij
Nu voelt hij de arm van papa.
Hij wordt opgepakt
en in bed gelegd.
'Ik wil niet,' roept Pieter.
'Ik wil niet.'

Als mama hem toedekt,
trapt hij alles door elkaar.
'Ik doe het toch niet,
ik ga niet slapen.
Ik ben boos op jullie.'
Papa legt de dekens weer goed.
'En wij zijn boos op jou,' zegt hij.
Het is even stil.
Pieter duwt zijn hoofd in het
kussen en bijt erin.
Papa aait over zijn bol.
'Malle jongen,' zegt hij.
'Kleine malle jongen.
Straks ga ik nog even kijken.
Ik vind Teuntje vast wel.
Goed?'
Pieter knikt: 'Goed.'

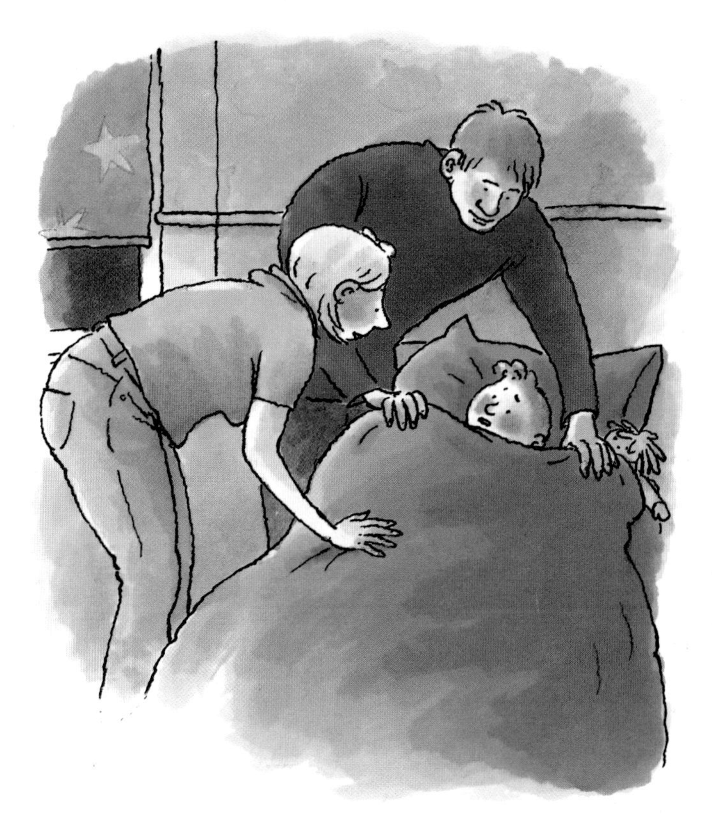

Hij krijgt een zoen
van papa en mama.
'Dag Pieter,' zeggen ze.
'Tot morgen.
Dan is Teuntje er weer.'

De lamp gaat uit
en de deur gaat dicht.
Maar Pieter wil niet slapen.
Ik ga een plan maken, denkt hij.
Een plan voor Teuntje.

Het plan

Pieter wacht.
Hij luistert goed.
Eerst hoort hij ze de trap afgaan.
Dan gaat de deur van de kamer
open en dicht.
Als het stil is,
steekt hij zijn hand uit.
Naast zijn bed hangt een touw.
Als je daaraan trekt,
gaat het licht aan.
Pieter trekt zachtjes.
Ze mogen niets horen.
Het licht is aan.
Hij gaat rechtop zitten.
Nu ga ik een plan maken,
denkt hij.

Een plan voor mijn poes.
Ik wil Teuntje nu hebben.
Niet morgen.
Hij is vast zielig en nat.
Ik ga hem zelf zoeken.
Ik ga zacht de trap af
en loop naar buiten.

Ze horen me toch niet,
want ze kijken teevee.
Pieter stapt uit bed.
Uit de kast pakt hij een dikke trui.
Anders zeuren ze weer, denkt hij,
dat ik kou vat.

Op de stoel ligt zijn broek.
Hij trekt hem aan.
Dan ziet hij zijn schoenen staan.
'Die stomme veters,' zegt hij.
'Die lukken nu toch niet.'
Daarom doet hij zijn laarzen aan.
Heel zacht maakt hij de deur open.
Hij kijkt naar de trap.
Die is donker.
Pieter voelt zich wel een beetje
bang.
'Teuntje,' fluistert hij.
Dan loopt hij naar de trap.

Naar beneden

Pieter kijkt omlaag.
De trap is donker.
Daar beneden is de gang
en de deur naar buiten.

Zacht loopt hij de trap af.
Ze mogen hem niet horen.
Midden op de trap
staat Pieter stil.
Hij hoort de teevee in de kamer.
Daar zijn papa en mama ook.
Ineens gaat de deur open.
Papa komt de gang in.
'Ik haal nog koffie,' zegt hij.
Het licht uit de kamer
schijnt op de trap.
Pieter duikt in elkaar.
Hij maakt zich heel klein.
Stil wacht hij af.
Zijn hart bonst.
Als papa nou maar niet
naar boven kijkt,
naar de trap.

Het gaat goed.
Papa ziet hem niet.
Hij loopt naar de keuken.
Pieter zit stil op de trap.
Hij knijpt zijn vuist dicht
van angst.
Even later komt papa terug.
Hij gaat de kamer in
en doet de deur dicht.
Het is weer donker.
Pieter zucht diep.
Dan staat hij op
en gaat verder de trap af.
Naar de voordeur.
Aan de deur zit een haak.
Als je die opzij doet,
gaat de deur open.

Pieter trekt flink aan de haak,
maar het gaat niet.
De haak is te zwaar.
Nog een keer, denkt hij.
Pieter hijgt ervan.

Opeens klinkt er een harde klik,
de deur gaat open.
Pieter schrikt.
Als ze het maar niet horen.
Hij loopt naar buiten.
De deur laat hij open.
Nu naar het park.
Zou Teuntje daar zijn?

Het is donker

De straat is heel stil.
De regen is gestopt.
Het waait een beetje.
Pieter kijkt om zich heen.
Hij is bang
en wil terug,
terug naar zijn bed.
Dan hoort hij een klap.
Pieter draait zich om.
De wind heeft de deur dicht
gedaan.
Hij kan niet meer terug.
Dan hoort hij papa's stem,
achter de deur in de gang.
Pieter trilt helemaal.

Hij rent weg.
De straat uit.
Langs het huis van de buurman
en de winkel van de slager.
Aan het einde van de straat
staat hij stil.
Hier moet hij de weg over.
Naar de andere kant,
want daar is het park.
Hij wacht even en denkt na.
Wat zal hij doen:
naar huis gaan
of in het park gaan zoeken?
Hij voelt tranen in zijn ogen.
Het is al zo donker, denkt hij.
Als het licht is,
is het park fijn.
Dan speel ik er vaak.

Nu is het zo eng.
Pieter veegt zijn tranen weg
en zegt zacht:
'Ik ga het park in
en verstop mij eerst in de hut.
De geheime hut van mijn vrienden
en mij.
Misschien is Teuntje daar wel.'
Ineens hoort hij stemmen.
In de verte komen mensen aan.
Ze zien me, denkt Pieter.
Ik moet weg.
Hij rent de straat over,
het park in.

De kleine wolf

Vooraan in het park
staat Pieter even stil.
Hij kan alles goed zien,
want de maan schijnt volop.

Daar is de bank, denkt hij.
Achter de bank zijn struiken.
Daar is ook de geheime hut.
Het is een kleine open plek
midden in de bosjes.
Pieter loopt de struiken in.
Op de open plek gaat hij zitten.

De grond is nat,
maar hij voelt het bijna niet.
Hij denkt aan andere dingen.
Aan Teuntje,
aan zijn huis.
Pieter voelt zich alleen.
Dan hoort hij iets.
Het kraken van een tak.
Er ritselt wat.
Hij hoort iemand komen.
Of is het een beest?
Er klinkt een zacht gegrom.
Pieter durft niet te kijken
en duikt in elkaar.
Hij slaat zijn handen
voor zijn ogen.
'Mama,' huilt hij zacht.
Het gegrom is nu vlak achter hem.

Een wolf, denkt Pieter.
Een nachtwolf.
Hij voelt nu de warme adem
in zijn nek.
De wolf snuffelt aan me,
hij wil weten hoe ik smaak.
Pieter voelt een koude neus
tegen zich aan.
'Niet bijten,' zegt hij.
'Je mag me niet opeten.
Ik moet eerst Teuntje zoeken.'
Hij kijkt even naar de wolf.
De maan helpt hem,
want hij kan het beest goed zien.
De wolf is wel een beetje klein.
Het is vast geen wolf, denkt Pieter.
Het is een gewone hond.

Een bruine hond,
met witte vlekken
en lieve ogen.
Pieter zegt: 'Dag hond.
Heb jij Teuntje gezien?'
De hond jankt even.

‘Heb jij ook verdriet?
Ben jij ook je huis kwijt,
net als Teuntje?’
De hond gaat naast hem zitten.
Hij houdt zijn kop scheef.
Pieter aait hem.
De haren van de hond zijn nat.
Pieter voelt zich blij.
Hij is niet meer alleen.
‘Blijf maar bij me,’ zegt hij.
De hond legt zijn poot
op de arm van Pieter.
‘Ik doe net of jij een wolf bent.
Een kleine wolf
met witte vlekken.
Samen gaan we Teuntje zoeken.’

Papa

Pieter staat op.
Hij zegt: 'Kom, kleine wolf,
we gaan op zoek.'
Samen lopen ze de struiken uit
naar het pad.
De kleine wolf blijft bij Pieter.
Ze lopen verder het park in.
Pieter wijst naar de maan.
'Kijk, kleine wolf,
de maan is onze vriend.'
Bij de vijver staan ze stil.
'Teuntje,' roept Pieter,
'Teuntje, ben je daar?'
Het blijft even stil.
Dan kwaakt er een kikker.

‘Ik denk dat Teuntje er niet is,’
zegt Pieter.
‘Kom, kleine wolf,
we gaan terug.’
Ze draaien zich om
en gaan weer langs de bank
en de geheime hut.

Ze lopen het park uit.
De weg over,
de straat in
waar Pieter woont.
In de verte hoort Pieter een stem.

Het is zijn vader, hij roept:
'Pieter, waar ben je toch?
Waar zit je nou?'
Het lijkt wel
of papa een beetje verdriet heeft.
'Hij zoekt ons,' zegt Pieter
tegen de kleine wolf.
Pieter begint te rennen.
De hond rent mee.
Samen hollen ze naar huis.
Als papa hem ziet,
rent hij ook.
Midden op straat
zijn ze bij elkaar.
Papa tilt hem op
en drukt hem tegen zich aan.
'Wat doe je nou toch allemaal?'
vraagt hij.

Pieter zegt:
'Ik zoek Teuntje in het park.
Maar hij is er niet.
Er is wel een kleine wolf
met witte vlekken.
Die is ook alleen.'
Papa lacht
en draagt Pieter naar huis.

Toch een goed plan

Door de straat
gaat een kleine optocht.
Papa loopt voorop
met Pieter op zijn arm.
Daar achter komt kleine wolf.
Hij zwaait vrolijk
met zijn staart.
Ze gaan langs de winkel van de slager
en het huis van de buurman.
Voor het huis van Pieter
staat mama.
Ze kust Pieter.
'Kleine man toch,' zegt ze.
'Je vat nog kou.'
Pieter wijst naar zijn trui.

‘Nee hoor,
ik heb een dikke trui aan.’
Ze gaan samen naar binnen.
De kleine wolf gaat ook mee.
Ze lopen de trap op
naar Pieters kamer.
Daar gaan ze op bed zitten.
Pieter moet alles vertellen.
Van de trap,
toen papa hem bijna zag.
Van de deur,
die niet open wou.
En van de stille straat
en de geheime hut in het park,
waar de kleine wolf was.
Papa zegt:
‘Wij zijn een beetje dom geweest.
Wij denken dat jij nog klein bent.

Maar je bent al zo groot.
Jij kunt best zelf zoeken.'
Mama knikt:
'We moeten samen zoeken,
dat is nog beter.'
'Met de kleine wolf,'
zegt Pieter.

‘Kijk, hij zoekt al.’
De kleine wolf snuffelt
door de hele kamer.
Aan het bed
en de stoel
en de kast met speelgoed.
Daar blijft hij staan.
Hij gromt
en springt tegen de kast.
In de kast klinkt geritsel.
Papa loopt naar de kast
en doet hem open.
Naast een oude bal
zit een kleine zwarte poes.
‘Teuntje!’ roept Pieter.
De poes gaapt
en rekt zich uit.
Dan ziet hij de kleine wolf.

Zijn staart gaat omhoog
en zijn oren gaan naar achteren.
Teuntje blaast tegen de hond.
Pieter pakt Teuntje op.
'Niet bang zijn,' zegt hij.
'De kleine wolf is onze vriend.'
De hond kijkt heel lief.
'Zie je wel,' zegt papa.
'Hij doet niets.'
De poes en de hond
snuffelen even aan elkaar.
Dan geeft de kleine wolf
een grote lik aan Teuntje.
De poes geeft een kleine lik terug.
'Nu zijn jullie vrienden,'
zegt Pieter.
'En wij hebben er een hond bij,'
zegt mama.

‘Hij kan goed op Teuntje letten.’
Papa lacht.
‘En nu, allemaal naar bed.’

Even later
is het stil in Pieters kamer.
Pieter ligt onder de dekens.
Op zijn bed ligt Teuntje.
Voor het bed,
op de mat,
ligt de kleine wolf.

Pieter voelt zich heel blij
en denkt:
Het was toch een goed plan van
mij.

Hallo!

Toen ik zo groot was als jij,
woonde ik in een hotel.
Mijn vader en moeder waren er de baas.
In het hotel was ook een zaal
met een toneel.
Daar speelde ik veel.
Ik verzon dan een toneelstuk.
En dat voerden we op.
Maar vaak kwam er ruzie.
Het hele toneelstuk raakte in de war.
Toen dacht ik: weet je wat,
ik schrijf alles op.
Dan is er geen ruzie meer.
Zo begon ik met schrijven.

Toen ik groot was,
schreef ik mijn eerste boek.
Toen waren mijn kinderen nog klein.
Ze heten Boris en Casper.
Ik moest het boek voorlezen,
maar het was te moeilijk.
Boris en Casper waren boos.

Ze vonden het maar stom.
Daarom ging ik ook boeken voor hen schrijven.

Boris en Casper houden veel van poezen.
Net als ik.
Op een dag gingen Boris en Casper naar groep drie.
Daar leerden ze lezen
Ik dacht: nu schrijf ik een boek dat ze zélf kunnen lezen.
Dat werd *Poes is zoek*
Maar ik maakte nog meer boeken, die je al gauw zelf kunt lezen.

Er zijn nu al meer dan veertig boeken van mij.
Voor alle leeftijden.
Kijk maar eens in de winkel of in de bieb!

Veel groeten van
Jacques (zeg maar: Sjak of Sjaak) Vriens